Une aventure musicale

adapté par Catherine Lukas   basé sur une histoire de Bradley Zweig
illustré par Kellee Riley

Presses Aventure, une division de
LES PUBLICATIONS MODUS VIVENDI INC.
55, rue Jean-Talon Ouest, 2ᵉ étage
Montréal (Québec) H2R 2W8

Publié pour la première fois par Simon Spotlight/Nickelodeon sous le titre *Tolee's Rhyme Time*

Traduit de l'anglais par Andrée Dufault-Jerbi

Dépôt légal : Bibliothèque et Archives nationales du Québec, 2010
Dépôt légal : Bibliothèque et Archives Canada, 2010

ISBN 978-2-89660-108-0

Nous reconnaissons l'aide financière du gouvernement du Canada par l'entremise du Programme d'aide
au développement de l'industrie de l'édition (PADIÉ) pour nos activités d'édition.

Gouvernement du Québec — Programme de crédit d'impôt pour l'édition de livres — Gestion SODEC

Imprimé en Chine

« *Ni hao!* Je suis !
KAI-LAN

Regarde ! J'arrive à lancer mon

🔔 d'une ✋ à l'autre ! »

TAMBOURIN   MAIN

dit Kai-lan. **Badaboum !**

« J'entends de la musique !

dit .  joue de la  !
KAI-LAN MONSIEUR   TROMPETTE
         SOLEIL

Et les  jouent du  ! »
     COCCINELLES   PIPA

 a une idée :

KAI-LAN

« Organisons un spectacle

de musique ! En avant la musique,

tout de go, go, go ! »

 demande à ses

KAI-LAN

amis de participer.

 veut jouer du  .

RINTOO   XYLOPHONE

« Grrr ! rugit . J'adore les

RINTOO

spectacles de musique ! »

 veut manier

HOHO

sa  . Celle-ci

CONSOLE DE MIXAGE

émet un bruit qui ressemble

à « scratch-scratch ».

 veut chanter.
TOLEE

« Tralala ! » fredonne .
TOLEE

tente encore de lancer

KAI-LAN

et de rattraper son .

TAMBOURIN

CLANG !

« Oups ! dit  . Je dois

KAI-LAN

essayer encore et encore ! »

« Quelle chanson

pourrais-je chanter ? »

se demande .
TOLEE

« Pourquoi pas une chanson

à rimes ? » propose .
KAI-LAN

« Qu'est-ce qu'une rime ? »
demande .

TOLEE

« Une rime est formée de 2

DEUX

mots qui ont le même son final,

comme  et 🎩 », dit 👧.

GICLEUR   FLEUR   KAI-LAN

🐨 essaie à son tour.

TOLEE

« 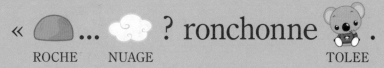 ... ? ronchonne .
ROCHE NUAGE TOLEE
Je ne sais pas faire une rime ! »

« Essaie encore ! » dit .

KAI-LAN

«  ...  ? » fait .

BÛCHE   FEUILLE   TOLEE

« C'est difficile ! » dit TOLEE en grimaçant à nouveau.

« N'abandonne pas ! » dit  KAI-LAN.

 réfléchit très fort.

TOLEE

« Hum ! ... ?

GRENOUILLE   ARBRE

 ... 🌿 ? » dit-il.

BÛCHE   HERBE

 s'éloigne en tapant du pied.

TOLEE

« Les rimes, c'est trop difficile !
J'abandonne ! » dit TOLEE.

 s'élance vers son ami.

« Je sais que tu peux y arriver,

 ! Pense à ! » dit-elle.

 excelle au tai-chi. Mais,

YEYE

pour être aussi bon, il a

dû s'exercer beaucoup.

Il s'exerce tous les jours !

pense à . Il essaie

TOLEE   YEYE

à nouveau de former une rime.

« ... peluche.

BÛCHE

 ...  ! » dit Tolee

ABEILLE   MONSIEUR
                SOLEIL

« Bravo,  ! dit .

TOLEE   KAI-LAN

Et maintenant,

place au spectacle ! »

Le spectacle commence.

 agite son ⊙.
KAI-LAN   TAMBOURIN

« Hourra ! 🐨 va maintenant
TOLEE

chanter quelques rimes ! »

dit-elle.

« 1 , 2 , 3 . Les rimes n'ont
UN DEUX TROIS

plus de secrets pour moi,

chante  .
TOLEE

Cela n'a pas été facile. Mais je

suis maintenant très habile.

Pour réussir il faut persévérer.

Et ne jamais se décourager. »

La foule lance des .
FLEURS

« Bravo ! » s'écrie .
YEYE

 sourit et fait au revoir.
KAI-LAN